Mi mono mijn aapje

Anke Kranendonk

Mi mono mijn aapje

tekeningen van Bregje van den Berg

Zwijsen

Bolleboosomslag en illustratie achterkant omslag: Gertie Jaquet
Vormgeving: Rob Galema

Boeken met dit vignet zijn op niveaubepaling geregistreerd en
gecontroleerd door KPC Groep te 's Hertogenbosch

1e druk 2004

ISBN 90.276.7695.x
NUR 282

Tekst: Anke Kranendonk
Illustraties: Bregje van den Berg
Uitgeverij Zwijsen Algemeen B.V. Tilburg

Voor België:
Zwijsen–Infoboek, Meerhout
D/2004/1919/219

Inhoud

1. Federico

'Wie heeft er nog wat te vertellen?' vraagt juf Linde. De jongens en meisjes van groep 3, 4 en 5 zitten in de kring. Bijna ieder kind heeft verteld over zijn vakantie. De een heeft gezeild met een roeiboot. De ander heeft gekampeerd, maar het ging regenen. De tent is gaan drijven en in de caravan van iemand anders terechtgekomen.

Iedereen heeft iets verteld, behalve de kleine Federico.

Dit is zijn eerste dag op school.

Federico is splinternieuw, geen wonder dat hij niets zegt. Het is een jongetje met bruine krullen en een bochel op zijn rug. Soms lijkt het alsof de bult op zijn rug beweegt. Maar dat kan niet.

Stil luistert hij naar de andere kinderen.

'Ik heb niets te vertellen,' zegt Mario. 'Maar ik heb iets te vragen, juf. Mag dat ook?'

'Ja hoor,' antwoordt de juf. Ze is heel lief vandaag. Nog geen een keer is ze boos geworden.

'Nou,' zegt Mario. 'Ik heb in de vakantie zitten nadenken: Waar komt de wereld vandaan?'

De juf kijkt verbaasd naar Mario.

'Wat een vraag,' zegt ze. 'En dat voor deze eerste dag. Kinderen, wie weet waar de wereld vandaan komt?'

Het is even stil in de klas, dan zegt Willem: 'De wereld is uit de lucht komen vallen.'

'O ja,' zegt de juf. 'Wie denkt iets anders?'

'Ik!' Sjuultje gaat rechtop zitten. 'Er was een dikke beer en die liet een dikke scheet!'

'Sjuul!' zegt de juf, maar ze wordt niet echt boos.

'Juf,' zegt Laura. 'Mijn moeder weet het. God schiep de wereld, hij zuchtte diep.'

Ran, Mees en Bobbie zitten naast elkaar. Ze zuchten alledrie, maar er komt geen wereld.

'Jullie zijn God niet,' zegt Laura. 'Jullie zitten te klieren.'

'Nietwaar!' roepen de jongens in koor.

'Sssst kinderen,' zegt juf Linde. 'Wie heeft er nog meer een idee?'

Even is het stil in de klas.

Dan klinkt er een mooi stemmetje.

'Juf,' zegt Federico. 'Ik ben de wereld.'

2. Opgesloten

De andere kinderen zeggen niets. De juf slikt.

'O ja?' zegt ze. 'Jij?'

Federico knikt.

'Het zit namelijk zo.'

Hij gaat op zijn handen zitten en wiebelt met zijn benen.

'Nu woon ik hier bij jullie. Maar vroeger woonde ik in Spanje. In een klein wit dorpje. Mijn straat heette Kaje Mojina, en ik woonde op nummer 17.'

Het was er warm, elke dag weer. Soms was de dag warmer dan die ervoor, soms nog warmer.

Op een dag was het zo heet dat ik bang was dat de bergen zouden smelten. Mijn moeder had de ramen opengezet en ik had me verstopt in een dikke kast. Daar zat ik heel vaak. Het was de koelste plek van het huis.

In het donker speelde ik dan een spelletje. Het heette: 'Ik zie, ik zie, wat jij niet ziet.' Plotseling hoorde ik mijn moeder roepen.

'Bandido!' gilde ze en ik wist meteen wat ze bedoelde.

Een bandiet! Zou er beneden een echte bandiet staan? Zo'n boef van vroeger, een struikrover met een baard en gescheurde kleren? Misschien had hij een krom zwaard in zijn hand en maaide hij nu het hoofd van mijn moeder af.

'Ba! Ba!' riep ze en dat betekent: 'Ga weg!'

Ik sprong uit de kast. Ik ging mijn moeder redden!

Ik rende naar beneden waar mijn moeder met de prullenbak boven haar hoofd stond.

In de deur stond een jongen met de helm in zijn hand. Hij was op de brommer gekomen en zag eruit zoals ik zo graag een grote broer wilde hebben. Geen baard of een zwart klepje voor zijn oog. Geen half been, gewoon een jongen uit het dorp.

'Boe!' riep ik 'Ba! Ga weg!'

De jongen draaide zich om en startte zijn brommer.

'Pfff,' zei mijn moeder die de prullenbak liet zakken.

'Wat een bandiet.'

Vlak daarna kwamen er tralies voor de ramen.

3. De bal

Alle huizen van het dorp kregen tralies voor de ramen. Niemand kon meer door een open raam naar binnen klimmen. Je kon alleen nog maar door de dikke, zware voordeur.

Elke dag zat ik in de vensterbank. Mijn knuisten had ik om de tralies geslagen. Ik keek naar de straat, maar het was er stil. Soms reed er een brommer voorbij. Hij maakte zoveel lawaai dat ik van schrik de vensterbank aftuimelde. Dan klom ik er weer op en keek naar de straat.

De straat was heel smal. Achter de tralies, aan de overkant woonde mijn vriendinnetje. We zwaaiden naar elkaar en kusten over de straat heen.

Op een dag kwam er iets aangerold. Een bal! Eindelijk iets om mee te spelen!

Ik sprong op de grond en rende naar de voordeur. Het duurde even voordat ik het zware ding open had, maar al snel stond ik in de felle zon. Waar was de bal gebleven?

Hij was doorgerold, het straatje uit dat steil

naar beneden liep. Ik zag hem nog net de bocht omgaan. Zonder er bij na te denken, holde ik de bal achterna.

'Federicoooooooooooo!' hoorde ik mijn vriendinnetje roepen. Haar stem werd een echo door de smalle straat.

Maar ik moest achter de bal aan. Ik holde en holde en de straten bleven naar beneden gaan.

'Bal!' riep ik. 'Balon!' Want ik wist niet of de bal Nederlands verstond, of Spaans.

'Ho! Stop! Alto! Hou de bal!' riep ik tegen alle mensen die voor hun huizen op de piepkleine stoepjes zaten. Maar de mensen verstonden me niet, ze waren oud en hadden ook al geen tanden meer.

Ik rende en rende, zo hard dat mijn voeten de grond niet meer leken te raken. Het was alsof ik over de straatjes zweefde. Soms zette ik nog één stap en zweefde dan weer verder.

Al snel tolde ik over me zelf heen. Ik leek zelf wel een rode, rollende bal. Ik wist niet meer wat voor en achter was.

Ik was een ronde bol geworden.

En dat was het begin van de wereld.

Door de straten van het dorp.

Toen kwam ik bij de straat met de honden.

4. Kefhonden

'Krrgggggg, waf waf!'
Voor me stond een klein bruin kefhondje.

Eerst dacht ik even dat het een mislukte mini-vos was met zijn enge tandjes.

'Krrgggggggggggg.' Zijn ogen keken bijna scheel van valsheid.

Meteen stond ik stil en kon niet meer bewegen. Ik leek wel van steen! Niet een klein steentje, maar een grote, zwarte rots, zo bang was ik. Maar het duurde niet lang, snel dacht ik na. Ik ben groter dan jij, smerig vals kreng, dacht ik.

De kleine hond sprong om me heen. Achter op zijn kont had eerst een staart gezeten, nu was er alleen nog maar een stompje. Dat stompje zwiepte heen en weer en zijn tanden werden steeds scherper.

'Sjakkooooo!' gilde er ergens een vrouw. Maar Sjakko luisterde niet. En ik moest verder. Mijn bal was alleen nog maar een rood stipje in de diepte geworden.

'Ba! Ga weg!' riep ik naar de hond en wilde verder rennen.

Niets daarvan. De hond greep me bij mijn enkel en liet niet meer los. Een felle pijn ging door me heen. Bloed van mij liep langs de rotte tanden van het kefbeest.

'Haal dat beest weg!' riep ik. Maar er werd niet geluisterd. Dan maar met hond, dacht ik en rende verder.

Nog even sleurde ik het beest aan mijn been mee. Totdat hij het niet meer hield en vanzelf losliet.

Er kwam meteen een volgende kefhond. Met kleine krieltandjes, en een afgehakte staart. Zwartwit was hij en het leek alsof hij net uit de wasmachine kwam. Niet omdat hij schoon was, maar het was en hond vol gekke plukken haar.

'Gggggggrrrrr,' riep ik, maar dat maakte het beest niets uit. Ik rende door en hij rende achter me aan. En er kwam nog een rare hond aan. Die had twee rijen tanden. In Spanje zijn heel veel enge honden!

Nog voordat ik bang kon worden, vloog de ene hond de andere aan en keffend liet ik ze achter.

Met een diep gat vol bloed in mijn been rende ik achter de bal aan. Het bloed spoot uit mijn benen, het leek wel een vulkaan. Zo was ik nu al een ronde wereld met rotsen van schrik en een vulkaan van bloed.

5. Moskietoos

Plotseling zat er een beestje op mij. Ik zag hem niet, hij maakte geen lawaai.

Eerst voelde ik niets. Maar toen kwam er een enorme bult op mijn arm. Terwijl ik ernaar keek, zag ik hem groeien.

'Wat doe jij daar, bult?' vroeg ik. 'Hoepel jij eens op.'

De rare bult begon me te pesten. Aan alle kanten begon dat ding te jeuken. Zo hard ik kon, krabde ik terug. Met mijn nagels kraste ik over de berg heen. Mijn tanden wreef ik erlangs. Niets hielp. De mug vond het een leuk spel. Hij pakte me waar hij me pakken kon. Op mijn enkel, mijn dijbeen, achter op mijn rug. Overal waar dat kleine snertbeest neerstreek, zoog hij een beetje bloed uit me en kwamen er reuzen van bergen te voorschijn.

'Mug moskietoo, ik weet wie je bent. Geen zoemmug, maar een doofstomme moskietoo die mij pakken wil! Ga weg prikbeest, ik moet naar de bal!'

Terwijl ik rende, krabde ik waar ik krabben

kon. Hinkelend op een been wreef ik over mijn enkel. Achteruitspringend sloeg ik de bult weg op mijn rug. Mijn armen kruiste ik om mijn schouderbladen te kunnen kriebelen. O! Daar ging mijn enkel weer. Ik sprong op, ik draaide, tolde, kraste.

De bergen op mijn lijf groeiden en de bal rolde door.

'Wacht op mij, bal!' smeekte ik.

Maar hoe kon hij stoppen? De straten bleven naar beneden gaan, nergens hield het op.

'Au!' Weer zo'n rotbeest. Vlak boven mijn oog. Ik voelde de bult groeien. Langzaam gleed hij omlaag en zakte mijn oog dicht.

Wat moest ik doen? Boven op mijn eigen oog de mug doodslaan?

Ik rende maar weer door achter de rollende bal aan. Het was zo heet, dat ik ging zweten. Langzaam gleed er een straaltje zweet over mijn gezicht en in mijn nek. Het ging langs de muggenbulten over mijn rug naar het spleetje van mijn bil.

Ik plaste aan de achterkant! Alsof er een rivier over de bergen naar beneden klotste!

Boem!
Ik stond stil.

6. Ontsnapt

Er was iets op me gesprongen wat zich stevig aan mij vastklemde. Het maakte een piepend geluid, alsof het bang was.

Ik trok mijn oog onder de bult een stukje open, om goed te kunnen kijken.

In mijn armen was een piepklein aapje gesprongen. Zijn lange staart had hij om mijn middel geslagen, en zijn armpjes hield hij tegen mij aan. Als een kleine baby zat hij bij me. Met zijn lichtbruine kraaloogjes keek hij me vragend aan.

'Hallo,' zei ik. 'Hoe kom jij bij mij?'

Het aapje gaf geen antwoord, hij knipperde met zijn oogjes. Zijn ronde, gladde bolletje glom in de zon.

'Aapje aapje,' zei ik, terwijl ik hem zacht over zijn kopje aaide.

'Ik ren nog steeds achter de bal aan. Ik rende zo hard dat ik bijna ging rollen. En jij? Hoe kom je hier? Woon je in Spanje, ben je verdwaald? Of kwam jij ook achter de bal aan?'

Het aapje knipperde met zijn ogen.

Ineens sloeg hij zijn armpjes om me heen. De

staart knelde hij nog steviger om mijn middel. Het beestje trilde over zijn hele lichaam.

'Wat is er?' vroeg ik en hield hem goed vast.

Toen hoorde ik het.

Uit een huis door de tralies brulde een man.

'Het is mijn aapje!' riep hij 'Mi mono! Ik heb hem zelf uit Afrika gehaald. Hij zat nog bij zijn moeder. Die schoot ik dood om het babyaapje te kunnen pakken. Hij is nu al drie maanden bij me. Als ik hem een klap geef, kan hij al een kunstje.'

Ik stond aan de grond geplakt. Even vergat ik dat mijn bal doorrolde. Ik klemde mijn armen om het kleine aapje heen.

'Mono mono,' zei ik, en tranen liepen over mijn wangen. 'Is je moeder dood? Heeft die bandiet je meegenomen! Wat vals! Laten ze hem zelf meenemen. Laten ze hem in een put zonder water gooien.'

Ik wou meer nare dingen over die bandiet zeggen, maar deed het niet.

Er kwam kabaal uit het huis.

Vliegensvlug schoot ik een nog smaller straatje in. Mono stopte ik onder mijn bloes. Ik drukte me plat tegen de muur aan.

'Jij gaat mee,' hoorde ik een basstem zeggen.

'Mono! Mi mono!' jammerde de bandiet.

'Doe nou maar niet zo zielig,' bulderde de zware stem. 'Jij weet heel goed dat je geen apen mag doodschieten. Hier staat vier jaar celstraf op.'

Net goed, dacht ik, en gluurde om het hoekje. De boef werd een politieauto ingeduwd. Ik zag nog net dat het een echte bandiet was, met woeste haren en een lange baard.

De agent gooide de deur dicht.

'Nu het aapje nog,' zei hij in zichzelf. Even voelde hij of de deur van de auto goed dicht was. Toen ging hij het huis weer in.

'Ga je met mij mee?' fluisterde ik tegen Mono. Hij sloeg zijn oogjes neer.

Snel glipte ik de hoek om en rende verder. Met Mono het aapje.

Ik zorgde voor hem en hij voor mij. Al snel hielden we heel veel van elkaar.

7. Straten vol lawaai

Mono mi mono werd steeds vrolijker. En ondeugend! We holden de markt over.

Het marktplein lag vol met meloenen en bananen. Mono rook ze al meteen. Met zijn lange staart zette hij zich van me af en sprong op de kist met bananen. Zijn kleine handjes grepen een paar kleine bananen. Nog voordat iemand het zag, was hij alweer in mijn armen geland.

Samen liepen we verder, en we aten beiden een banaan. Het plezier duurde kort.

'Mono, mono!' hoorde ik roepen.

In een paar tellen had ik alle Spanjaarden achter me aan. Vrouwen met schorten om, mannen op brommers, alle kefhonden uit het dorp.

'Mono bandido! Aap, je bent een boef!'

Ik rende voor mijn leven, met Mono stevig om me heen. Hij keek me bang aan met zijn kraaloogjes.

'Ga maar,' zei ik tegen hem. 'Spring maar weg, ze mogen jou niet pakken.'

Ik wilde het niet zeggen, Mono moest altijd bij me blijven. Maar ze mochten hem niet pakken. Ik gaf hem een kusje op zijn mond en toen sprong hij weg. Het laatste wat ik zag, was het puntje van zijn lange staart.

Verdrietig rende ik verder. Ik vergat de boze vrouwen en mannen van de markt. En zij vergaten mij. Moe slofte ik verder en praatte in mezelf.

'Bal!' zei ik. 'Blijf even liggen. Rol niet steeds verder. Kom tegen een boom aan en wacht daar op mij.'

Maar de bal hoorde me niet. Hij rolde een straatje in en ik ging erachteraan.

Een geluid maakte al mijn woorden stil.

Ik duwde mijn oren dicht en trok mijn schouders omhoog.

'Wat een herrie!' riep ik. 'Kan het wat zachter?' Maar niemand hoorde me.

Alle mensen waren in hun huizen. Ze hadden hun televisie aangezet. Niet een beetje hard, maar heel hard.

Maar omdat het zo warm was, stonden de ramen open. Door de ramen kwam het geluid. Bij elk huis weer opnieuw.

'Een beetje stil, alstublieft!' riep ik.

'Ik zoek mijn bal. Nu kan hij mij niet horen! Baaaaaaaal!'

Toen werd het ineens stil.

8. Todos toros

Ik liep niet meer op straat, maar in een gang. Het was er donker. Stapje voor stapje liep ik verder. Langzaam werd het lichter in het smalle gangetje. Ik zag een deur openstaan en liep erdoorheen. Eerst zag ik alleen maar zand. Na een poosje zag ik ook drollen liggen, en ik zag rode plekken. Zover als ik kon kijken, lag er zand!

Hoe kon het hier zo stil zijn? Terwijl het net nog zo'n kabaal was.

Nadat ik een tijdje had stilgestaan, keek ik naar boven. Er waren allemaal stoelen rondom mij, metershoog boven elkaar. En al die stoelen keken naar mij.

Wat was dit? Had ik dit weleens gezien? Ja! Op de televisie. Allemaal mensen en 22 voetballers. In de arena, en de mensen joelden als er een doelpunt werd gemaakt.

Maar hier lag geen gras. En er waren geen mensen. Hier lag zand.

'Hallo!' riep ik naar de stoelen.

'Allo!' riepen ze terug. Ik wachtte of er iemand zou komen.

'Ola!' riep ik nu.

'Ola!' riepen de stoelen terug.

Uit de muur kwam een man gesloft. Hij had zwarte haren, een zwarte snor en hij keek stoer.

'Ola,' zei hij tegen mij, terwijl hij een sigaar opstak.

'Ola,' antwoordde ik. Dat is "hallo" in het Spaans, maar ik moet altijd aan ijsjes denken.

'Waar ben ik?' vroeg ik. De man staarde naar me, maar zei niets.

Ik gebaarde met mijn handen in de lucht.

'Wat is dit?'

'Toro!' zei hij.

'Toro?'

'Todos toros.'

De snorrenman zag dat ik hem nog steeds niet begreep. Hij zette zijn handen op zijn hoofd en stak twee vingers naar voren. Daarbij maakte hij rare sprongen. Hij deed zijn hoofd naar beneden.

'Toro!' riep hij. 'Todos toros!' En hij prikte met zijn vingers in mijn buik.

'Stieren! Allemaal stieren!'

'Ksssst!' zei hij toen.

Moest ik weg?

Ja! Daar, aan de overkant, werd een deur

opengemaakt. Een dikke stier kwam het zand opgerend. Woest rende hij in het rond. Het gele zand stoof alle kanten op. Bergen geel zand dwarrelden omhoog. Het viel over de man en mij heen.

'Kssst!' riep de man. Hij haalde een rode doek te voorschijn. Rustig wapperde hij ermee in de lucht.

Toen snapte ik het. De man ging oefenen met de stier. En vanavond zouden de mensen komen kijken. O! Ik wilde ook vechten met de stier. Kom maar op! Maar ik kon niets meer zien, het zand was in mijn ogen gekomen. De stier kwam stampend op mij af.

Het leek wel alsof een woestijn vol zand over mij heen viel. Ik hoorde de stier wel, maar kon hem niet meer zien. Brullend kwam hij naar me toe.

Gelukkig pakte de man mijn hand en trok mij weg. Hij rende naar een deur en duwde me een gang in. Daar liet hij me achter. Alleen. Ik leunde tegen de muur en hijgde. In de arena hoorde ik de boze stier brullen.

Was hij nog op zoek naar mij? Of had de snorrenman hem te pakken? Net op tijd was ik aan hem ontsnapt!

Lang kon ik niet uitrusten. Na een paar minuten hoorde ik een gilletje. Ik schrok en keek op. Wie sprong er in mijn armen?

9. Mama

Mono, mi mono. Aapje mijn aapje!
'Mono, Mono!' riep ik almaar.

Hij had zijn armpjes om mijn nek geslagen.
Bijna kneep hij mij fijn, en ik hem.

'Mono, mi mono! Hoe heb je me gevonden?'
Ik nam zijn hoofdje en gaf er kusjes op. Met zijn
dunne vingers graaide hij het zand uit mijn haren en mijn oren.

'Mono,' zei ik steeds en hield hem dicht tegen
me aan. Achter me brulde de stier in de arena.

'We moeten weg voordat de stier ons grijpt,'
zei ik. Mono sloeg zijn staart om me heen.

Samen renden we de arena uit, door de stad,
op zoek naar de bal.

Verder renden we, de stad uit. We gingen door
de velden met bomen. Ondertussen plukten we
citroenen. Lekker tegen de dorst, maar een beetje te zuur.

'Federicooooo!' hoorde ik achter me.

'Ricooooooo!'

Ik kende die stem. Mama! Daar kwam ze aangehold. Haar zwarte, lange rok wapperde achter haar aan. Een grote, donkere schaduw volgde haar. Het was de zon die al laag stond.

Bijna was het donker.

'Mama!' riep ik.

Ze rende hard en kwam naar me toe. Toen ze bij me kwam, nam ze me in haar armen.

'Jongen, jongen' hijgde ze, 'waar was je?'

Mono sloeg zijn staart om mijn moeder heen en ik antwoordde: 'Hier.'

10. De wereld ben ik

'En zo werd ik de wereld,' zegt Federico. 'Ik rende zo hard achter de bal aan dat ik ging rollen. Ik werd zelf een bal, net als de ronde wereldbol. Ik was versteend toen ik schrok van de honden. En mijn been bloedde als een vulkaan. De bulten van die nare muggen werden de bergen.

Ik rende maar door in het hete Spanje. Zweetdruppels liepen over me heen en werden de rivieren.'

Even zegt Federico niets, en de klas zegt ook geen woord.

Dan gaat de jongen weer verder.

'En Mono,' zegt hij. 'Ik hou van mijn aapje met alle liefde van de wereld.'

Hij haalt zijn handen onder zijn benen vandaan. Ze zijn een beetje rood geworden. Hij kijkt ernaar, en dan naar de kinderen uit de klas.

Twintig open monden staren hem aan. En een grote, rode mond van de juf.

Het blijft een tijdje stil in de klas.

'Ja, ja,' zegt juf dan. 'Maar zo is het natuurlijk

35

niet echt gegaan. Laten we nu maar weer gaan rekenen. Daarom zijn jullie op school, toch?'

'Poe!' roept Sjuul. 'Wat een onzin. Waar is de bal dan?'

Federico wipt op één bil om iets uit zijn zak te halen. Een rood vodje. Als hij het openvouwt, houdt hij het in de lucht.

'Mijn bal,' zegt hij. 'Toen we in Nederland kwamen, rolde hij tegen het prikkeldraad. Lek! Nu is hij een halvemaan.'

'Poe!' roept Sjuul nog eens.

'Aan het werk,' zegt juf en ze wil opstaan.

Ineens beweegt de bult op de rug van Federico. Er komt een klein kopje uit zijn bloes gepiept. Twee bruine kraaloogjes kijken vrolijk de klas rond.

'Hi hi,' grinnikt Federico en hij kietelt het aapje achter zijn oren.

'Mono. Mi mono!'

Dubbelland

Olim woont in Dubbelland. In dat land heeft iedereen een
dubbelganger. Dat is iemand die precies op je lijkt. Olim
heeft geluk, want zijn dubbelganger is Milo. En Milo is de
zoon van ridder Radbout. Olim wil graag weten hoe het is
om in een kasteel te wonen. Ze besluiten om een tijdje te
ruilen. Maar dat mag natuurlijk niemand weten ...

Mag ik ook mee?

Bjorn ging helemaal alleen naar oma. 'Oma gaat mij een dagje verwennen,' zei hij. 'Mag ik mee?' vroeg Roza de koe. 'Mag ik ook mee?' vroegen Tobber de hond, Huub de haan en poes Lola. Het mocht en Bjorn nam ook Carmen het konijn mee. Zo gingen ze met zessen op weg. Zouden ze veilig bij oma aankomen?

Opgesloten in school

Fieke vergeet haar huissleutel mee te nemen. Hij ligt nog op de lessenaar van juf. Fieke en Finn rennen terug naar school. De gangen zijn helemaal leeg. Als ze de sleutel hebben gevonden, gaat het alarm af en zitten ze vast in de school. Hoe komen ze eruit?

Red Dada!

Juul woont met haar ouders in Afrika. Haar vader bouwt er
een varkensboerderij. Als de biggen aankomen, is er niet
genoeg voer om ze te eten te geven. Juul en Sela, haar
buurmeisje, vinden een van de biggetjes. Ze noemen haar
Dada, wat 'zusje' betekent. Ze geven haar restjes van hun
eten en het biggetje begint langzaam dikker te worden.
Maar opeens is Dada verdwenen ...

De vogelverschrikker

Zelien moet vogelverschrikker spelen op het graanveld van
Boer Rijkeboer. De hele dag slaat ze op deksels om de
vogels bij het graan weg te houden. Zelien heeft niet gere-
kend op de bende van Kor, een tiental grote, zwarte kraai-
en. Ze plagen haar en slagen erin heel veel van het
graanzaad te snoepen. Lukt het Zelien om het graan
te beschermen?